Saito, Masao
Masao Saito's food illustrations

FOOD ILLUSTRATIONS

1 ミックスジャム　Mixed Jam　41.0×32.0cm　1988

2 スパゲッティミートソース　Spaghetti Meat Sauce　1988

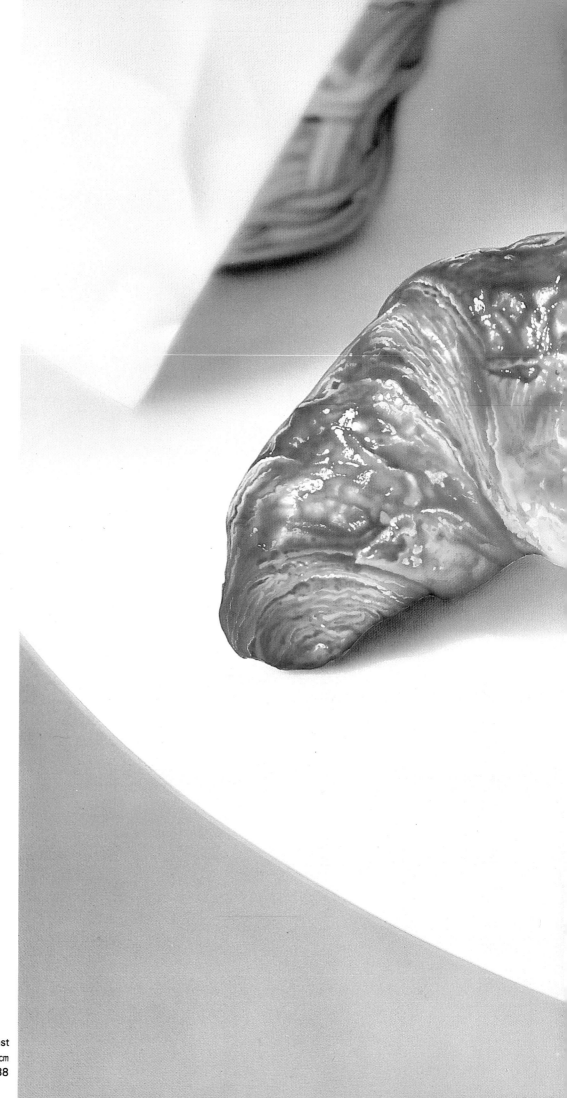

3 朝食 Breakfast
45.5×38.0cm
1988

4 野菜サラダ　Vegetable Salad　53.0×45.5㎝　1985

サラダ菜　Salad　50.0×61.0cm　1988

6 レモンとライム
Lemon and Lime
60.0×50.0cm
1988

7 ワインとサラダ　Wine and Salad　60.0×50.0㎝　1987

8 牡蛎　Oyster　41.0×32.0㎝　1988

0 海老 Prawn 61.0×73.0cm 1986

蛸 Octopus 38.0×45.5cm 1988

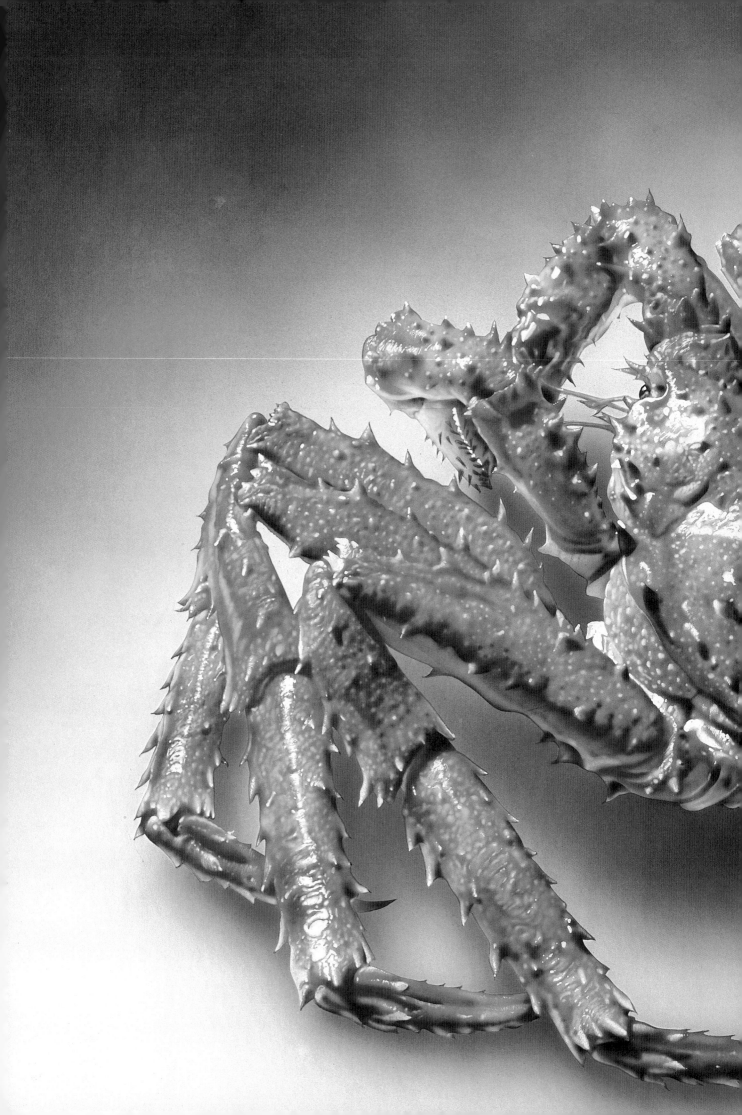

11 タラバガニ　Crab
60.0×42.0㎝　1988

12 金目鯛　Sea Bream　52.0×36.5cm　1988

3 みがきにしん
Dried Herring
50.0×38.0cm
1987

14 ポテトとコーン　Potato and Corn　61.0×73.0㎝　1986

5 バーベキュー　Barbecue　36.5×51.5cm　1987

16 ピクルス　Pickles　24.5×33.5㎝　1986

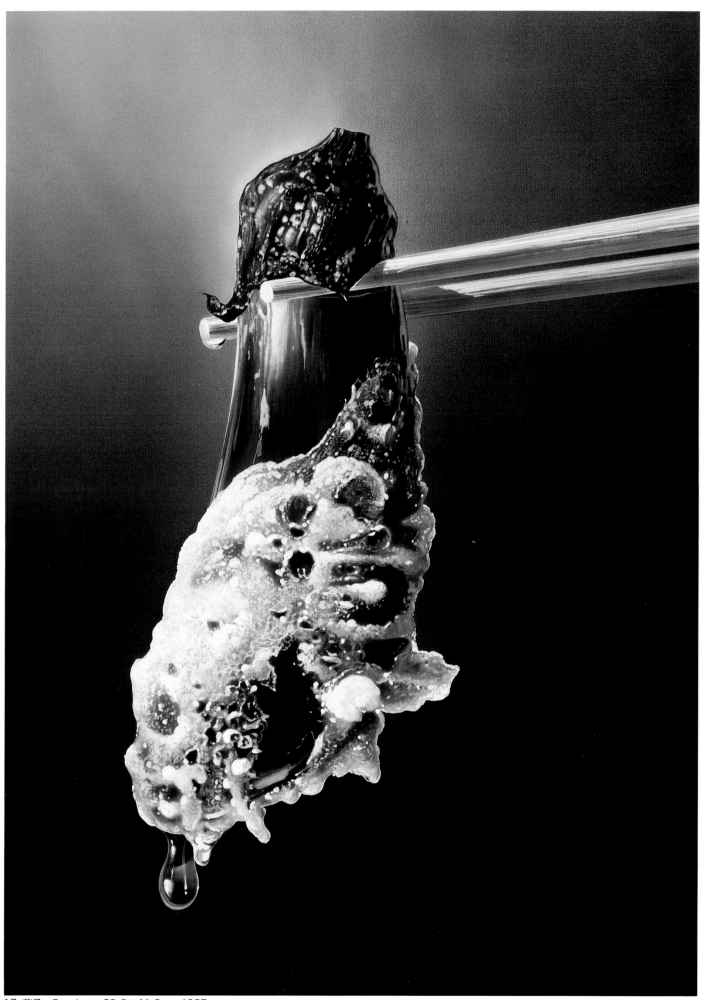

17 茄子　Eggplant　32.0×41.0㎝　1987

18 チキン　Chicken　41.0×32.0cm　1988

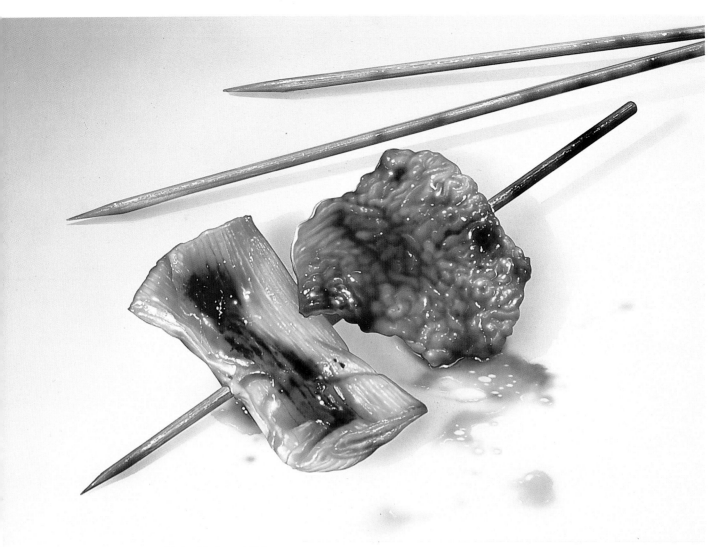

9 やきとり　Barbecued Chicken　41.0×32.0㎝　1988

20 シチュー1　Stew 1　53.0×45.5cm　1982

21 シチュー2　Stew 2　45.5×53.0cm　1983

22 豚肉　Pork　41.0×32.0cm　1986

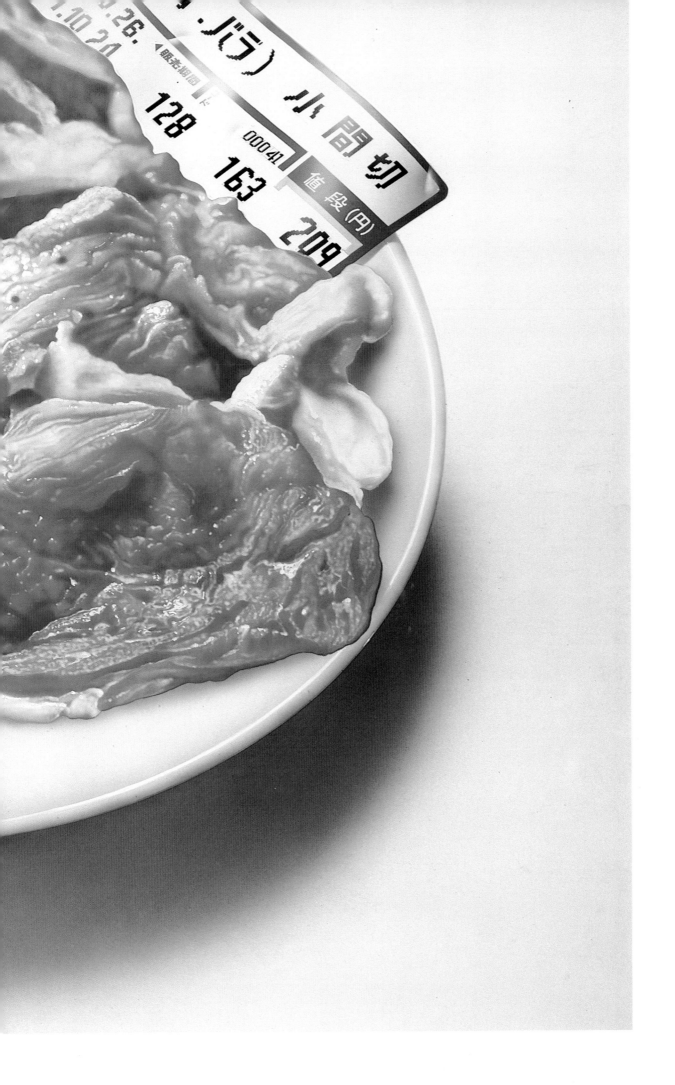

23 ソーセージ
Sausage
45.5×38.0㎝
1987

24 かぼちゃ　Pumpkins
　45.5×38.0㎝　1987

25 椎茸　Shiitake
45.5×38.0cm　1987

26 アーティーチョーク　Artichoke　45.5×38.0cm　1986

27 たけのこ　Bamboo Shoots　45.5×38.0㎝　1987

28 ビーツ　Beets　45.5×53.0㎝　1988

29 ブドウ Grapes
53.0×46.0㎝
1988

30 スグリ　Gooseberry　45.5×46.0cm　1986

31 柘榴　Pomegranate　61.0×71.0cm　1986

32 洋梨 Pear
45.5×38.0cm 1986

33 プラム　Plum　65.5×53.0cm　1987

34 秋の収穫　Autumn Harvest　53.0×65.5cm

37 ウィンナコーヒー　Viennese Coffee　36.5×26.0cm　1988

38 コーヒービーンズ　Coffee Beans　38.0×45.5cm　1987

9 ミルクとチョコレート　Milk and Chocolate　1987

40 ラムネソーダ　Soda Tablet　32.0×41.0cm　1986

41 炭酸ソーダ Splash 72.0×91.0cm 1987

42 アーモンドクリーム　Almond Cream　38.0×45.5㎝　1986

43 ストロベリーケーキ　Strawberry Cake　45.5×53.0cm　1986

44 チェリータルト　Cherry Tart　45.5×53.0cm　1987

45 グレープフルーツジェリー　Grapefruit Jelly　72.7×61.0㎝　1986

46 ハートジェリー　Heart Jelly　38.0×45.5cm　1985

47 ミントジェリー　Mint Jelly　45.5×53.0cm　1986

48 ストロベリーパイ　Strawberry Pie　33.0×45.0㎝　1985

49 バースデーケーキ　Birthday Cake　50.0×61.0㎝　1985

50 ソフトアイスクリーム　Whipped Ice Cream　45.5×53.0㎝　1986

51 ブルーベリーアイスクリーム　Blueberry Ice Cream　50.0×61.0㎝　1987

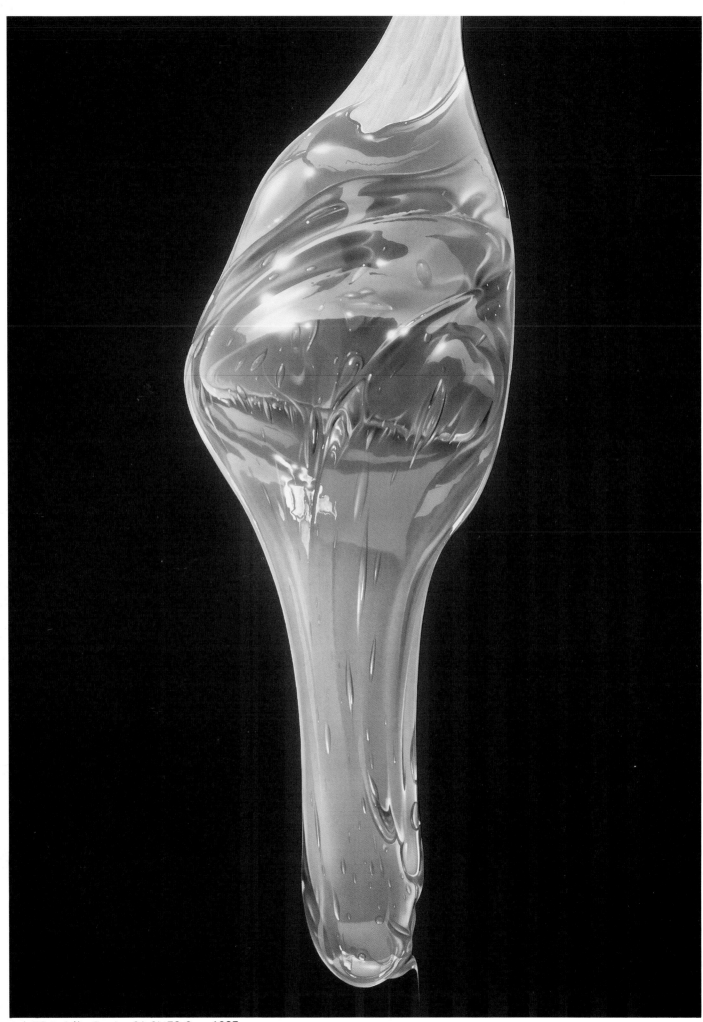

52 いも飴　Candy　61.0×73.0cm　1987

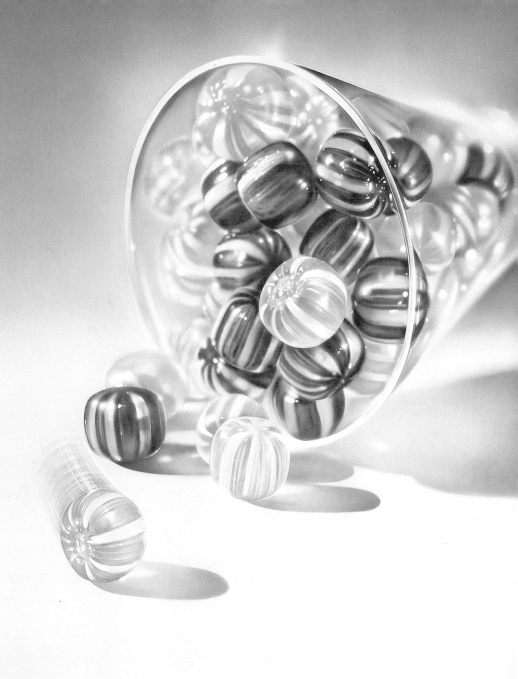

55 黒豆　Black Bean　41.0×38.0㎝　1988

56 梅干 Pickled Plum 61.0×73.0cm 1986

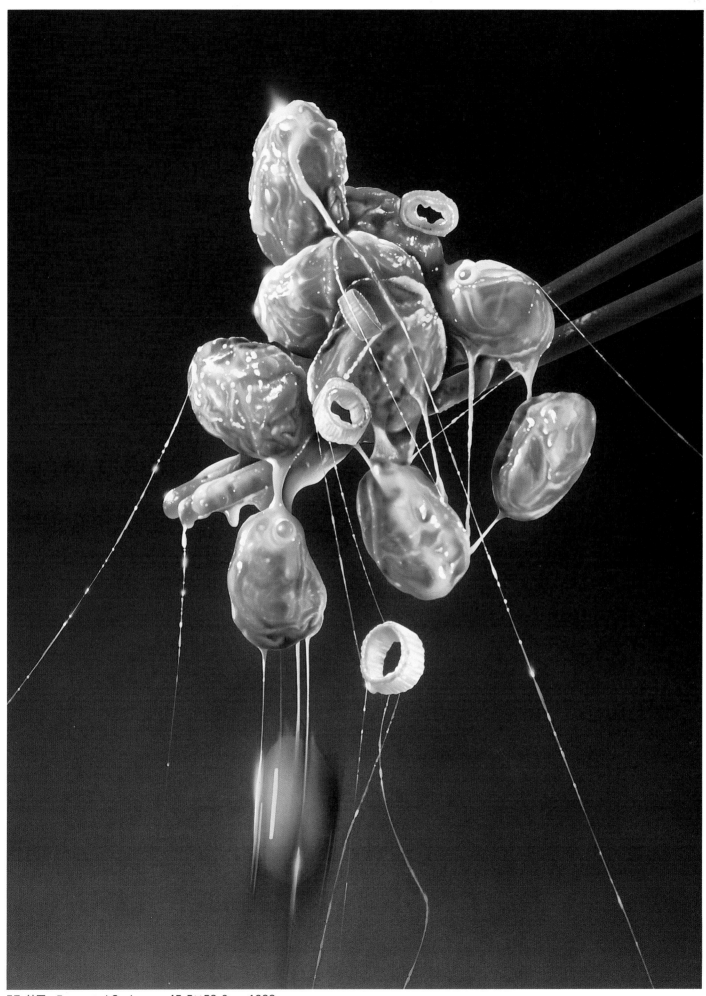

57 納豆　Fermented Soybeans　45.5×53.0cm　1988

58 ちらしずし　Sushi　38.0×45.5cm　1987

59 煮物　Boiled Foods　61.0×73.0cm　1983

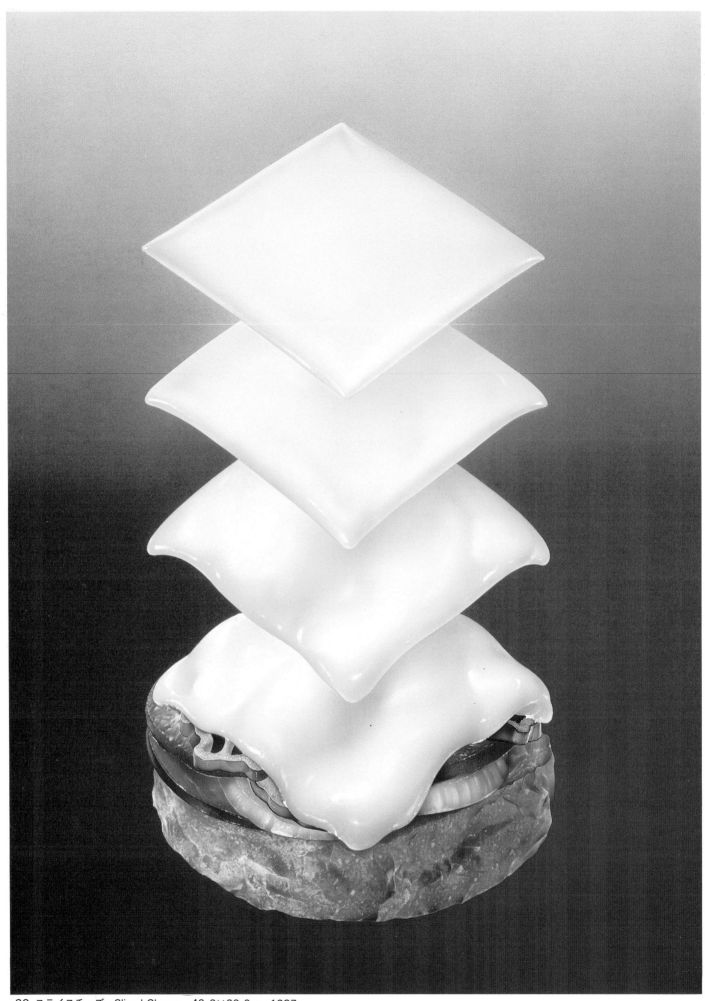

60 スライスチーズ　Sliced Cheese　42.0×60.0cm　1987

61 ハンバーガー　Hamburger　91.0×73.0㎝　1986

62 スパゲッティ 1
Spaghetti 1
73.0×61.0cm 198

63 スパゲッティ2　Spaghetti 2　73.0×61.0cm　1986

64 スパゲッティ 3　Spaghetti 3　73.0×61.0cm　1986

65 スパゲッティ 4
Spaghetti 4
3.0×61.0cm 1986

66 ハート目玉　Heart Eggs　45.5×38.0cm　1985

67 ベーコンエッグ　Bacon & Eggs　61.0×50.0㎝　1984

68 フルーツ缶　Canned Fruit　41.0×32.0㎝　1982

69 バナナ Banana 71.0×61.0㎝ 1986

アトリエを訪ねて

　3メートル四方ほどの狭い空間の中から、次々と華麗なイラストレーションが生み出されるさまは、まるで奇跡か魔術を見ているのではないかと思わせられる。狭いことは、この場合大きな利点で、手の届く範囲に数百色の絵具、数百冊の資料が整然と並べられ、制作の進行をたいへんスムーズにしている。しかし、斎藤雅緒は、この空間だけにこもっているのではない。果物や野菜、魚などの種別を正確に描きわけるため、各地の農事試験場や、魚市場にどんどん取材に出ていく、そこで、彼自身が資料として撮影した膨大なカラースライドも、この空間の中に保管されている。このように、裏づけのあるリアルさを描きつづけている斎藤雅緒に、いくつかの質問を試みた。

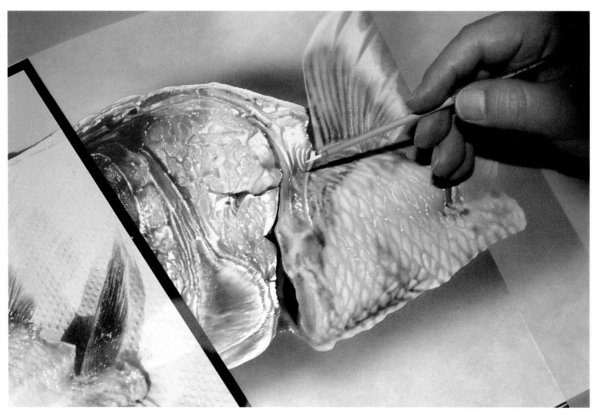

Q＝リアルに描写することで、最も大切なことは何ですか。

A＝物の質感をよくとらえることです。質感をとらえるには、物
の表面の光をよく観察することです。硬いものにはシャープ
な光がでますし、軟かいもの、液体のものには、光がやわら
かくなります。

Q＝光ということをもっと具体的にいいますと何でしょう。

A＝光の映り込みといいましょうか、画面の中でいえば、ハイラ
イトの形と強さになります。このハイライトをよく観察する
ことが、リアルに表現するポイントといえます。

Q＝そのよう、光を観察する訓練は何かあるのでしょうか。

A＝光源が一つのところで見ることも大事ですね。ですから、屋
外で物を見ることが役に立ちます。屋外は、光源が太陽一つ
ですから。それを片目で見るのが私の場合良かったみたいで
すね。

Q＝屋内では、どのように観察すればよいでしょうか。

A＝屋内では、窓からの自然光、天井の電灯、それを反射する明
るい壁といったように光源が複数になることが多いのですが、

Editor: What is the most important element in realistic illustration.

Saito: It is most important to capture the physical properties of an object. To do this, one has to observe light on the surface of the object. Light appears sharp on hard objects, and soft on soft objects and liquids.

Editor: More specifically, what do you mean by the term "light"?

Saito: What we see is only a reflection of light. On the surface of an object, light appears highlighted or appears as strongly lighted areas. This is probably the most important point to keep in mind in illustrating the object realistically.

Editor: How can we train ourselves to observe light?

Saito: The light source should be observed from one place. It helps to observe an object carefully outdoors. This is because outdoors, the sun is the only light source. For me, it was very instructive to look at objects outdoors through only one eye.

Editor: What is the best method of observation indoors?

Saito: Indoors, there are several light sources, with natural light coming inside through the window and artifical light

メタルのリンゴ　1986　映り込みによって立体感がつけられる

宝石のしずく　1986　ハイライトの硬軟を示す作品

鳥賊　1982　ぬるりとした質感表現

その中で、最も強い光がどれかを見つけることです。これが主光源になるわけで、この光によって、そのものの形を表出します。他の弱い光によるハイライト部分は、主光源より調子を落とすことで立体感も強調されます。

Q＝写真を撮影されていますが、写真はやはり大切なものですか。

A＝とても大切ですね。特に自然光は刻々と変わりますから、最も良い状況のところを撮影します。

Q＝写真で構図も決めるのでしょうか。

A＝私の場合は質感をメモするということで、構図まで決めることはほとんどありません。液体などは形を止めることができませんから、高速度シャッターで撮影して、その形を生かすということはやっています。

Q＝着彩では筆をよく使われるようですが。

A＝主として、色の調子の強いところを、あらかじめ筆でベースになる色を引くということをしています。使う絵具が透明性

from lamps. These two forms of light will collide and reflect on a lightly-colored wall. In such a situation, one good method is to try to determine which of these two lights is the strongest. The stronger light is the main light source, and this is the source that expresses the shape of an object. Parts that are highlighted by the weaker light lower the tone as compared to those parts lighted by the main light source, and therefore de-emphasize the three-dimensionality of an object.

Editor: You also take photographs. Is the application of this aspect of light important in photography as well?

Saito: Very important. Especially because natural light changes moment by moment. One has to choose to photograph in a particular location under the best condition.

Editor: Do you also premeditate the composition of your photographs?

Saito: I usually just take down a few notes about the object's surface. I don't try to determine the composition of the photograph. For soft objects like liquids, one cannot get a fix

リンゴ　1986　熟れた果物の表現

おもちゃの瓶　1986　複数の光源を描きわけた作品

口紅　1986　現実では不可能な状況の表現

のアクリル絵具が多いので、下の色が生きるということです。

Q＝果物などでは何回も色を塗られるようですが、あれも透明な
　　絵具であるからですか。

A＝え！ そうですね。このように何層かに重ねる方が、色面に強
　　さが出るということもあります。

Q＝その色の重ね方に何かルールはあるのでしょうか。

A＝ルールというほどではありませんが、私の場合は、その果物
　　が成長する過程の色を順次に塗っています。たとえば、リン
　　ゴなら、黄、薄橙、赤というようにです。

Q＝水をよくお使いになるようですが。

A＝ええ、ハンピースに水を入れて、絵具を洗い流すようにして
　　ハイライトを作ります。明るい絵具を吹きつけるより自然な
　　形のハイライトがつくれるようです。

Q＝果物などお描きになるとき、現実とイラストレーションとし
　　ての表現とで何かギャップがありますか。

on the shape, so I photograph with a high-speed lens and try to use the resulting shape in the most appealing way.

Editor: I understand you often use a brush for applying colors.

Saito: I usually apply a color base with a brush in the places where the color tones are the strongest. Because I mostly use transparent acrylic pigments, the color underneath is quite visible.

Editor: How many times do you paint the surfaces of fruit? Do you get that effect from the transparent pigment?

Saito: Yes. Painting layer upon layer helps to give the strong impression of tone in the color.

Editor: Is there some rule to painting layers?

Saito: Not especially, but I try to paint the layers in the order that the fruit ripens. For example, with apples, I start with yellow, proceed to light orange, and end up with red.

Editor: I hear that you use water as well.

Saito: Yes. I put water in an airbrush, and wash away the

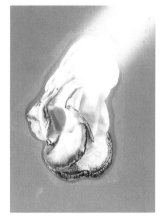

作品 8 のプロセス

野菜　1986　高速度カメラで資料撮影した作品

A＝いろいろありますね。たとえば桜桃などイラストレーション
　　では水々しさを出すのに水滴をつけるようにいわれるのです
　　が、現実では桜桃に水滴は禁物なんですね、雨がかかったり
　　すると実にしみができたりしてしまうので、それを防ぐのに
　　木の上に傘をさすなど手をかけるわけですから。もちろん食
　　べる直前の状況ならそれでもいいのですが、枝についてる状
　　態でそれを要求されると、ちょっと抵抗を感じますね。その
　　他にも、袋をかけた、姿と色のよいリンゴより、私としては
　　色や姿は少しわるくてもほんとうにおいしいリンゴを描きた
　　いのですけどね。

Q＝ところで、イラスレーターになられたきっかけは何だったの
　　ですか。

pigment before it dries. This highlights the portion that has been washed away. Rather than creating a highlight by applying bright pigment, this process creates a naturally-shaped highlight.

Editor: When you illustrate fruit, for example, are there any gaps between the real objects and their expression as illustrations?

Saito: Yes there are. When studying illustration, we are told to depict the fresh wholesome quality of fruits, such as cherries, by adding drops of water. Water, though, is not good for cherries on trees. Farmers spend a great deal of money to keep water off the fruit, because it will split if wet. After being picked, it is all right to moisten the fruit, but this should not happen while the fruit is still on the tree. I would much

桜桃　1971
しずくをつけて描かれた桜桃

缶の蓋　1976　個展の作品

自動車　1976　テクニカルイラストレーションの例

作品12のプロセス

A＝はじめはグラフィックデザイナーとして仕事をしていたのですが、仕事先にいらした故幅一夫氏にすすめられて、自動車のテクニカルイラストレーションを描いたのがキッカケです。それ以来20数年もイラストレーションを描きつづけています。

Q＝小さい頃から絵はお好きだったのですか。

A＝ええ、よく入賞して、みんなからうまいうまいといわれ、その気になっていたことはたしかですね。

Q＝数年以前、個展も開かれましたが、あのときのテーマは。

A＝仕事に疲れたとき近所を散歩して見つけたいろいろなもの、たとえば、ジュースの缶のプルアップとか、放置された子供の自転車とか、そんなものの存在感を出してみたいと思って

rather prefer to depict a worm-eaten, but delicious-looking apple, rather than a polished apple that is wrapped.

Editor: Why did you become an illustrator?

Saito: I was originally a graphic designer, but my colleague, Mr. Kazuo Haba, recommended that I try illustration. My first job was illustrating a car, and for the twenty years since then, I have continued illustrating.

Editor: Did you like painting when you were young?

Saito: Yes. I entered many contests, and won a few prizes. Everyone said I was good, and I became serious about it.

Editor: You had your own exhibition some years ago. What was the theme of that exhibition?

Saito: One day I was very tired from work and I was walking in my neighborhood. I found various things on the road like

クーラー　1971　イラストレーターになった頃の作品

オートバイ　1984　テクニカルイラストレーション

作品6のプロセス

描いたものですが。いわば、注文されたイラストレーションを描くこのとはちがって、自分の主観を全面に出した作品を描いてみたのです。

Q＝今後もそのような個展などは考えてらっしゃるのですか。

A＝個展というより、描いてみたいテーマはあります。肖像画、風景画などですね。それから、先ほどいったように、袋をかけない、ほんとうにおいしいリンゴですね。その一つとして、この本でも食べ終ったスパゲッティとか、籠に入った、自然な表現の果物を描いてみたのですが、そういうことでは、この画集のオリジナルのものは充分楽しみながら描いたものです。

―――どうもありがとうございました。

the empty beverage cans and bicycles thrown away by children. I wanted to make people aware of this kind of trash. Doing this kind of illustration was a good way to relieve the stress that built up from my regular work.

Editor: Are you considering an exhibition of this kind of illustration in the future?

Saito: I don't know if I want to have an exhibition, but I do have several topics in mind for pictures, such as portraits and landscapes. And, like I mentioned before, a real worm-eaten, delicious-looking apple. An example of this can be found in this volume with the illustrations of leftover spaghetti and fruit in the basket. In that sense, creating the illustrations for this volume was really a pleasure.

Editor: Thank you very much.

ブリキのおもちゃ　1981　個展の作品

プルリング　1976　個展の作品

自転車　1976　個展の作品

あとがき

　食することが大好きな私にとって、ここ数年、食物を中心として制作してきましたが、ここにまとまった作品集を刊行出来えたことは喜びです。と同時に食することが大好きなことと、目的をもった作品（イラストレーション）には、別の意識、即ち共通の美意識や客観性をも導入し、基本的な生き物としての食物の素材を知り得ることの困難さに直面しながらの、制作の日々です。
本書に掲載した作品は、私自身の最良とするところに近いものだとは思っておりますが、今だ発見や失敗の繰り返しです。
しかも確たる技法も今だ持てない私に「技法ビデオ」も同時に発売されたことに戸惑いを隠し得ません。
ただ少しでも何かを感じとって下されば、幸いに思います。
この本の出版を快く引き受けて下さった美術出版社社長大下敦氏初め、多忙の中での企画編集と制作の相馬健二氏、写真撮影のフォトグラファーの鈴木博雅氏、技法叢書編集室、及びたちぬい企画のスタッフ一同の方々に、深く感謝と、御礼申し上げます。

1988年6月　　斎藤雅緒

〒213　神奈川県川崎市宮前区宮崎1-6-12
　　　　ライオンズマンション宮崎台402号
　　　　　　　TEL・FAX 044（854）8484

略歴

1947　静岡県に生まれる。本名　雅夫。
1965　静岡県浜松工業高校工業デザイン科卒業。
　　　グラフィックデザイナーを経て（故）幅一夫氏師事。
1968　フリーのイラストレーター・画家となり現在に至る。
1976　科学絵本「アブラゼミ」国内・外国版出版（フレーベル館）
1978　銀座フマ・ギャラリーにて初個展、他グループ展。
1979　新技法書シリーズ「リアル・イラストレーション」を出版（美術出版社）
　　　銀座フマ・ギャラリーにて個展「花・実」。
　　　日本イラスト連盟、特別展「自然と極限美の追求」。
1981　日本テレビ「11PM」に「スーパーリアルイラストレーション技法と作品」出演。
1982　宮城県美術館「今日のイラストレーター展」に出品。「オートバイ750」「ストロベリー・ケーキ」所蔵。
1983　作品集「スーパーリアルイラストレーション」国内・外国版出版（グラフィック社）
　　　科学絵本「サクランボ」出版（フレーベル館）
1984　イギリス「世界中の高度なエアーブラシテクニック」作品掲載。（オルビス出版社）
　　　NHK特別番組「21世紀は警告する」TVタイトルバック、ポスター制作発表。
　　　単行本「ジョイ・フルユイ」フルーツの本出版（いずみ出版社）
1985　'85筑波科学万博「電力館」壁面制作。
　　　スイス「Wizard & Genius」社からポスター制作発売。
　　　オランダ「ベルケル」社からポスター及びポスターカード発売。
1986　著書「フルーツ・ウォッチング」国内・外国版出版（グラフィック社）
　　　イギリス・アセナ社から「アート・ポスター」発売。
　　　アメリカ、ニューヨーク「アート・エキスポ展」出品。
1988　日本テレビ「美の世界」アート・NOW、技法と作品、出演。
　　　技法ビデオ「フード・イラストレーション」発売。（美術出版社）
　　　青函博EXPO'88「世界・食の祭典」イベント「フード・イラストレーション」展。
　　　現在、東京デザイナーズ・スペース会員。

現在、東京デザイナーズ・スペース会員。

受賞歴
U・S・A・ソサエティーデザイナーズポスター展賞、全国カレンダー展通産省産業局長賞、朝日新聞広告賞、毎日新聞デザイン賞（各部門）賞、日本経済新聞広告賞、日刊工業新聞広告賞、電通雑誌広告賞、フジ・サンケイ雑誌広告賞、ロンドンインターナショナル広告賞・ファイナリスト賞

70 なまこ　Sea Cucumber　41.0×32.0㎝　1988

FOOD ILLUSTRATIONS

©1988 Masao Saitoh

First published in Japan in 1988 by Atsushi Oshita.

Bijutsu Shuppan-sha Co., Ltd. Tokyo.

Edited by TACHINUI planning inc.

Printed in Japan.

ISBN4-568-50091-5 C3071